L'hirondelle
FR J 59

5/91

FEB 3 '92	DATE DUE		
OCT 25 '94			
FEB 21 '05			

Le cycle de vie de

L'HIRONDELLE

Texte de
John Williams

Illustrations de
Jackie Harland

Conseillère spéciale :
Diana Bentley

Traduit de l'anglais par
Marie-Andrée Clermont

The Life Cycle of a Swallow
Copyright © 1987 Wayland (Publishers) Ltd
Version française
pour le Canada
© Les Éditions Héritage Inc. 1989
ISBN : 2-7625-5294-X
pour la France
© Bias Éditeur 1989
ISBN : 27015 0243·8
Dépôt légal : 2e trimestre 1989
Loi n° 49 956 du 16 juillet 1949
sur les publications destinées à la jeunesse
Imprimé en Belgique

Note aux parents et aux enseignants
Chaque livre de cette série a été spécialement conçu et
rédigé pour initier les jeunes lecteurs aux sciences naturelles.

Table des matières

Tu trouveras l'explication
des mots en **caractères gras**
dans le lexique de la page 31.

L'hirondelle, un très bel oiseau.

Ces oiseaux magnifiques, ce sont des hirondelles. L'hirondelle vole avec une grande agilité ; elle peut descendre en piqué, remonter en chandelle puis replonger tout à coup vers le bas. De plus, ses ailes fortes et effilées lui permettent de parcourir de très longues distances. Elle a des plumes d'un beau bleu-noir foncé et une queue **fourchue**, qui l'aide à changer de direction rapidement dans les airs.

La migration saisonnière.

À la fin de chaque été, l'hirondelle quitte son nid et s'envole vers une région où le **climat** est plus doux. C'est ce qu'on appelle la **migration**. L'hirondelle, en effet, n'apprécie pas le froid de l'hiver. Au printemps, cependant, elle reviendra construire un nouveau nid pour ses petits.

La construction du nid.

L'hirondelle n'aime pas beaucoup la ville, qu'elle trouve trop bruyante. Et comme elle affectionne les grands espaces, elle préfère s'installer dans un coin tranquille à la campagne. Le mâle et la femelle se mettent à deux pour construire leur nid, qu'ils fabriquent avec de la boue et de la paille. Il leur faut environ huit jours pour le terminer.

9

L'accouplement du mâle et de la femelle.

Avant que la femelle hirondelle ponde ses œufs, le mâle **s'accouple** avec elle. Le mâle dépose à l'intérieur de la femelle un liquide, appelé **sperme**. Le sperme vient s'unir aux œufs qui se forment à l'intérieur du corps de la femelle. C'est ce qu'on appelle la **fécondation**. Une coquille commence alors à se former pour protéger le petit oisillon qui grandit dans l'œuf.

La femelle hirondelle pond ses œufs.

La femelle pond ses œufs de un à trois jours après l'accouplement. Elle peut pondre jusqu'à six œufs à la fois et elle a habituellement deux ou trois **couvées** par année. Les œufs doivent être gardés bien au chaud, alors la maman et le papa les **couvent**, à tour de rôle, de la chaleur de leur corps.

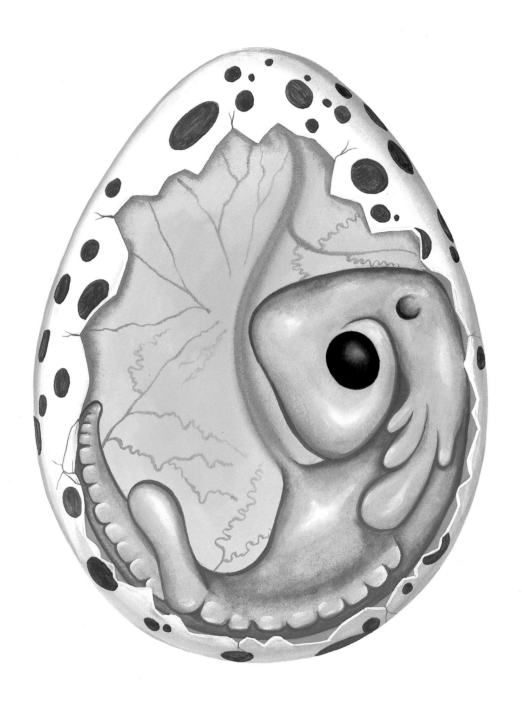

Bébé hirondelle grandit à l'intérieur de l'œuf.

À l'intérieur de l'œuf, l'oisillon entreprend sa croissance. Le temps qu'il est ainsi dans l'œuf, on l'appelle **embryon**. Toutes les autres parties de l'œuf servent d'aliment à ce petit être qui grandit.

Le papa et la maman s'occupent des œufs.

Pendant que les oisillons grandissent à l'intérieur des œufs, les provisions diminuent dans le nid. Le papa et la maman continuent de couver mais, à tour de rôle, ils vont chercher de la nourriture l'un pour l'autre. L'hirondelle mange des insectes ailés qu'elle attrape en plein vol.

Les bébés hirondelles sortent de leur coquille.

Environ quinze jours plus tard, les bébés oiseaux commencent à **éclore**. À leur naissance, les oisillons ont le dos couvert d'une mince couche de **duvet** gris pâle. Comme ils n'ont pas encore de vraies plumes, leurs parents doivent continuer à les réchauffer de leurs corps et à leur prodiguer des soins.

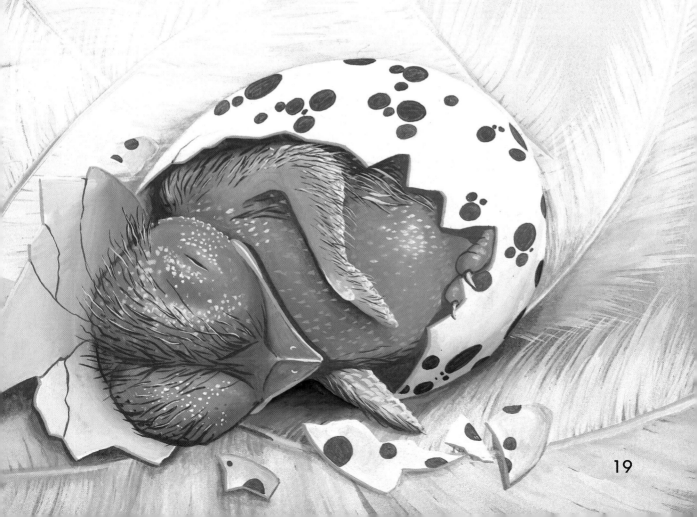

La maman et le papa nourrissent leurs petits.

Les bébés hirondelles ont besoin de manger dès leur naissance. Les parents doivent donc attraper un grand nombre d'insectes volants, tant pour nourrir les petits que pour s'alimenter eux-mêmes. Durant l'été, on peut voir les hirondelles faire des vols en piqué pour mieux attraper les insectes qu'elles pourchassent.

21

Les petites hirondelles sont prêtes à s'envoler.

Quelque trois semaines ont passé. Les bébés ont maintenant de vraies plumes. Ils seront bientôt capables de voler et d'aller chercher leur propre nourriture. Papa et maman les ont bien alimentés et se sont bien occupés d'eux. Les jeunes hirondelles peuvent maintenant se hasarder hors du nid.

Les jeunes hirondelles volent hors du nid.

Les oisillons ont commencé à voler de leurs propres ailes, mais leurs parents continuent quand même de les nourrir. Plus comme avant, cependant : au lieu de leur apporter des aliments au nid, papa et maman leur passent maintenant les insectes de bec à bec en plein vol, ou encore pendant qu'ils sont **perchés** pour se reposer. Les premiers jours, toute la **nichée** revient dormir au nid.

25

Les hirondelles ont terminé leur croissance.

À la fin de l'été, les hirondelles, réunies en grandes **volées**, descendent au sud vers un climat plus clément. Lorsqu'elles reviendront, au printemps, les jeunes partiront à leur tour à la recherche de coins tranquilles où bâtir leurs propres nids. Tu devines ce qui arrivera ensuite?

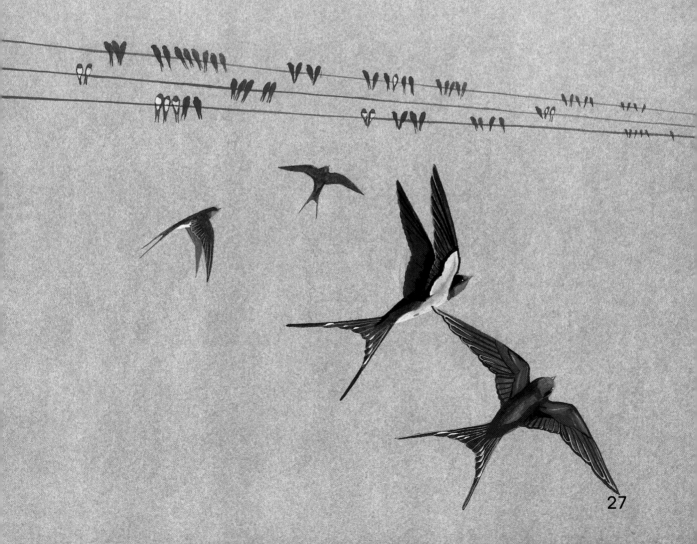

L'observation des oiseaux.

Il y a une multitude d'espèces d'oiseaux à observer. Dans les villes, grandes ou petites, tu trouveras des pigeons, des moineaux et des étourneaux. À la campagne, tu verras plutôt des hirondelles, des mésanges, des pics et des geais bleus.

Si tu découvres un nid d'oiseaux, tu peux regarder à l'intérieur, voir s'il y a des œufs. Mais, attention : tu ne dois toucher ni aux œufs, ni au nid. Il faut à tout prix éviter de déranger quoi que ce soit dans le nid ; autrement, il se pourrait que les parents oiseaux prennent peur et décident de s'en aller.

Le cycle de vie de l'hirondelle.

Te rappelles-tu les différentes étapes du cycle de vie de l'hirondelle?

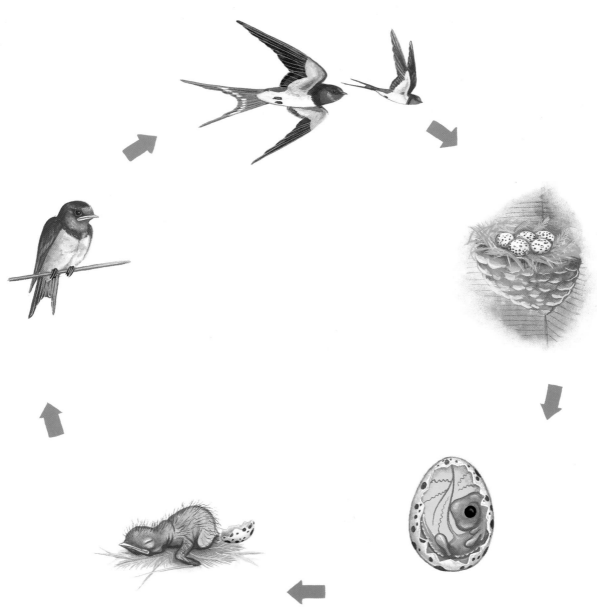

Lexique

Accoupler(s') : union du mâle (papa) et de la femelle (maman) oiseaux. C'est en s'accouplant que les parents oiseaux font les bébés oiseaux.

Climat : les conditions du temps dans une région ou un pays.

Couvée : ensemble des œufs qu'un oiseau couve en même temps.

Couver : couvrir les œufs de la chaleur de son corps pour les faire éclore.

Duvet : petites plumes molles et légères qui recouvrent le corps de l'oisillon à sa naissance, avant que pousse son véritable plumage.

Éclore : sortir de l'œuf.

Embryon : nom donné à un bébé oiseau (et à un bébé animal) avant sa naissance.

Fécondation : la fécondation se produit au moment où le sperme émis par le mâle s'unit aux œufs formés dans le corps de la femelle. Sans cette union, pas de bébés oiseaux.

Fourchue : une queue est dite « fourchue » lorsqu'elle se divise en deux pointes pour former un « V ».

Migration : long voyage que font les oiseaux vers des pays plus chauds, pour éviter le froid de l'hiver.

Nichée : ensemble des oiseaux d'une même couvée qui sont encore au nid.

Percher ou se percher : lorsque les oiseaux se posent ou s'assoient (sur une branche ou ailleurs), on dit qu'ils perchent ou qu'ils se perchent.

Sperme : liquide émis par le mâle, qui s'unit aux œufs formés dans le corps de la femelle pour les féconder.

Volée : bande d'oiseaux qui volent ensemble.

Index